AF607414

Primera edición, diciembre de 2023
Diseño, correción y maquetación: Fut i makak

Impreso en PodiPrint
Estonia: info@westindies.eu

ISBN: 978-9916-9819-3-1

Rudyard Kipling

Así fue que Shakespeare escribió La Tempestad

Introducción de Ashley H. Thorndike
Traducción de Teresa Galarza Ballester
Edición bilingüe

Introducción

por Ashley H. Thorndike

La brillante reconstrucción de Rudyard Kipling sobre la génesis de *La Tempestad* anima, quizá, a reflexionar sobre lo mucho que esta obra ha estimulado la creatividad de los lectores. Muchas adaptaciones, réplicas y secuelas se han hecho. Fletcher[1] copió la tormenta, la isla desierta y la mujer que nunca había visto a un hombre. Suckling[2] tomó prestados a sus espíritus. D'Avenant y Dryden[3] añadieron a un hombre que nunca había visto a una mujer, un esposo para Sycorax y una hermana para Cáliban. Percy MacKaye[4] ha utilizado su escena, mitología y arquetipos para el Tricentenario de la Mascarada Shakespeariana. La fascinación ha llegado más allá del teatro, y ha suscitado alegorías y disquisiciones morales. Cáliban ha sido redefinido como el Eslabón Perdido; como el espíritu de la Democracia en el drama filosófico de Rénan[5]; y como una sátira sobre la concepción antropomórfica de la Deidad en el poema de Browning.

---

1 La comedia jacobina de John Fletcher y Philip Massinger, *The Sea Voyage*, destaca por su imitación de *La Tempestad.*

2 Se refiere a la obra *Goblins* de John Suckling.

3 Aquí la referencia es a la adaptación de John Dryden y William D'Avenant.

4 La obra de Percy MacKaye, publicada a principios del siglo XX, llevaba por título *Caliban by the Yellow Sands* (Cáliban por las arenas amarillas).

5 Ernest Rénan publicó una continuación de la obra de Shakespeare que tituló *Caliban.*

Pero aparte de comentarios por parte de poetas y filósofos, *La Tempestad* ha permanecido durante muchas generaciones en la imaginación de millones de mentes. Es ahí donde la isla encantada se multiplica prolongando su existencia. Como cantó Shelley,

> De una tierra lejana a la nuestra
> Donde la música, la luz de la luna y
> el sentimiento son uno.

Shakespeare creó esa tierra para que cada uno de nosotros la poseamos. No muy lejos, cerca del gran continente de nuestra monótona rutina diaria, se encuentra esta isla encantada donde podemos encontrar música, luz y sentimiento, diversión, argucia y sabiduría. Allí, en sintonía con la melodía y transformados por el encanto de la luz de la luna, podemos toparnos con los sinsentidos de payasos borrachos, la mezcla de avaricia y romance del hombre primitivo, las travesuras y la belleza de la niñez, y la benigna filosofía de la vejez. Podemos salir de la ciudad cuando en el trabajo echan el cierre y, si evitamos las trampas de Cáliban y Trínculo, podemos cenar con Próspero, Ariel y Miranda.

¿Cómo descubrió Shakespeare esta isla encantada? ¿De qué materiales creó el «insólito tejido de esta visión»? ¿Qué tenían que ver los teatros de Londres con estos espíritus de la nada? ¿Sobre qué libros u obras de teatro se crearon estos sueños? Con todos los problemas que le causaba al empresario tener beneficios, además de los rivales que acosaban a la Compañía de Actores del Rey en el Globe y Blackfriars, ¿cómo se le ocurrió este «espectáculo inconsistente»? Muchas veces se ha dicho que los Sonetos son la llave para abrir el corazón de Shakespeare; quizás, si pudiéramos responder a todas las preguntas recién formuladas podríamos tener la clave para descifrar su imaginación. No creo que Shakespeare tuviera una imaginación limitada. Al contrario, era completamente receptivo a todos los impulsos y estaba abierto a innumerables influencias. Al menos, esta es la opinión de Rudyard Kipling, quien sugiere que su «idea se pudo construir a partir de un material tan verdaderamente prosaico como es la conversación de un marinero medio borracho en un teatro».

Rudyard Kipling escribe como si inventara una historia sobre otra. Efectivamente, nadie mejor cualificado para rastrear los procesos de la imaginación creativa y descubrir el tejido a partir del cual se elaboran las ideas que él mismo. En esos maravillosos relatos suyos, ¿quién no ha reconocido una shakespeariana catolicidad en la búsqueda del hecho y alquimia en su transformación? Él mismo ha creado muchas islas encantadas y sabe de qué están hechas. Es más, el marinero recién llegado del naufragio en las Bermudas podría haber salido de uno de los cuentos del Sr. Kipling; no obstante, se convierte en objeto de agudas críticas porque «su prodigalidad en los detalles al principio, cuando estaba más o menos sobrio, suministró y, con seguridad, sentó las bases de la obra de acuerdo con el principio por el cual una historia, para resultar realmente verídica, debe estar sustentada por hechos.»

El texto de Kipling ha encontrado un lugar en todos los debates que sobre la obra ha habido posteriormente y se ha convertido en una contribución a esa investigación histórica que busca descubrir las formas y los medios por los cuales se hace la literatura. No sería descabellado, por tanto, reunir a modo de introducción y comentario otras sugerencias que la crítica ha proporcionado en relación con las influencias e incentivos que pudieron impulsar a Shakespeare para concebir esta obra, escrita al final de su carrera y en el momento en que el teatro isabelino había alcanzado su máximo apogeo.

Los estudios recientes han añadido a nuestro conocimiento la certeza de que la obra fue escrita en 1610 o 1611, porque Ernest Law ha demostrado que la entrada supuestamente falsificada de su representación en la corte el 1 de noviembre de 1611 es genuina. Varios pasajes de la obra indican que no fue escrita antes de julio de 1610, cuando Sir Thomas Gates y sus barcos navegaron por el Támesis con información sobre la seguridad de la flota que había partido de Plymouth un año antes. Esta flota de nueve barcos partió hacia la nueva colonia de Virginia, y se vio sacudida por una gran tormenta; entonces, el barco «Sea Venture», con los líderes a bordo, Sir George Somers, Sir Thomas Gates y el Capitán Christopher Newport, acabó encallando en una de las Bermudas. Pero no hubo que lamentar la pérdida de vidas; los aventureros pasaron con desahogo muchos meses, construyeron dos pinazas con los materiales del naufragio y se reunieron con sus compañeros en Virginia. Antes de la llegada de Gates, varios informes del naufragio ya habían llegado a Londres, por lo que su regreso sano y salvo fue un milagro pronto olvidado. Se escribieron crónicas completas: dos se imprimieron en otoño y otras circularon en forma manuscrita. Obviamente, Shakespeare leyó algunos de los folletos que relataban las extrañas experiencias de la expedición, e hizo algún uso de los relatos de otros viajeros, como el *Descubrimiento de Guayana* de Raleigh. Pero es posible que escuchara muchos más chismes aparte de lo que leyó en el día a día. O, quizá, «se le apareció el Estéfano original recién arribado de los mares y medio mares de más allá.»

De este Estéfano original o de los relatos de los viajeros pudo haber extraído algunas pistas para concebir a Cáliban. Circulaban muchos relatos extraños de caníbales y monstruos, como una narración que hablaba de «un monstruo marino... brazos de hombre, sin pelo, y en los codos grandes aletas como de pez». Se habían traído indios de América, que se habían exhibido solo unos años antes del estreno de la obra, despertando mucha curiosidad. Como observa Trínculo, «hay quienes no darían ni un chelín a un hombre pobre pero gastarían diez por ver, por un agujerito, a un indio muerto». Sin duda, Cáliban pretendía ser de la tierra, es decir, terrenal, (lo opuesto a Ariel, el espíritu del aire), y también pretendía ser un esbozo del salvaje que se resistía al dominio del europeo. Pero, por brutal y salvaje que fuera, también era un habitante de la isla encantada y también para él la vida tiene su lado romántico. No hay momento más mágico, y a su vez, típicamente Shakespeariano en toda la obra que este. Marco Polo contó que «Oirás en el aire el sonido de tambores, y otros instrumentos, para que los espíritus malignos asusten a los viajeros con estos sonidos y también llamen... a los viajeros por sus nombres.» Pero el Cáliban de Shakespeare tranquiliza a sus compañeros asustados por Ariel tocando un timbal.

No temas. La isla está llena de ruidos,
Sonidos y dulces aires, que agradan y no dañan.
A veces el tañido de un millar de instrumentos
Me zumba en los oídos, y otras veces son voces
Que, aunque yo me despierte después de dormir
  mucho,
Me hacen dormir de nuevo; y entonces, en el
  sueño,
Veo nubes que se abren y me muestran riquezas
Listas para caer sobre mí, de tal modo que al
  despertarme,
Lloro por soñar otra vez.

La isla encantada debe aún más a los viajeros procedentes de los grandes mares del romance. Shakespeare había hecho muchas incursiones en ese campo en ocasiones anteriores, pero no fue el primer Colón en buscar las tierras desconocidas de las ilusiones y los encantamientos. Afortunadamente para nosotros, vivió en el período de la aventura imaginativa y dirigió su ingenio sobre los océanos de donde muchos predecesores habían regresado cargados de tesoros, si bien este no es lugar para relatar las diversas circunstancias que colocaron a los hombres del siglo XVI en una posición afortunada para el romance, o para indicar el largo desarrollo de la comedia romántica en la que Shakespeare desempeñó un papel tan importante. No obstante, es muy posible que la entrevista entre el dramaturgo y el marinero hubiera tenido resultados muy diferentes si el teatro isabelino no hubiera estado acostumbrado a la unión de lo risible y lo romántico, lo cómico y lo maravilloso. Tal unión no es común. No hay comedias románticas en la literatura de la antigüedad, y muy pocas en la literatura moderna desde la muerte de Shakespeare. Encontró un escenario que ya era el hogar del romance, acostumbrado a la fantasía y a la heterogeneidad, que conseguía crear un espectáculo de tres horas lleno de sentimiento y diversión, música y monstruos, heroínas idealizadas y juegos de palabras.

El romance se abrió paso fácilmente en los escenarios a través de los espectáculos que deleitaron a las cortes de los Tudor. Venus y Diana, o la Lealtad y la Sedición, o el Caballero de la Cruz Roja y la Princesa Hada, o cualquier otra persona, siempre que estuviera suntuosamente ataviada y enjoyada, podría ser conducida en un enorme carro que representara un castillo, un jardín o una isla, decorado con flores y lentejuelas, y así comenzar con una escena costumbrista y terminar con un baile. Junto con todo este esplendor, no se considerarba inapropiado que un payaso bailara una jiga o imitara las tonterías de un borracho. Tales espectáculos pronto se convirtieron en la alegría del público así como de la corte, y fueron imitados por muchos Holofernes o Bottom locales. Las ninfas y las hadas, los Nueve Valerosos o la Edad de Oro pueden encontrar representación en casi cualquier maestro de pueblo y sus pupilos.

A partir de esos pasatiempos pronto se desarrolló una especie de comedia, al principio propiedad particular de los niños de los coros reales que actuaban en la corte, pero que pronto se adaptó a las compañías de adultos y a los teatros públicos. Esta comedia se valía de las historias más ocurrentes, ya fueran extrañas, insólitas, maravillosas o imposibles, y las acompañaban con música, baile y espectáculo, y con animadas bromas en boca de los más pequeños, vestidos de pajes.

Endimión enamorado de la luna, el juicio de París, Pandora y sus variadas acciones bajo los siete planetas, la magia rival de los frailes Bacon y Bungay, Jack el Matador de Gigantes, Alejandro Magno enamorado de Campaspe que prefirió a Apeles – son algunos de los temas. Astrólogos, amazonas, hadas, sirenas, brujas y fantasmas son algunos de los personajes que aparecen junto a los pajes cantores y las deidades olímpicas. Evidentemente, estos personajes y hechos maravillosos son imposibles en muchos escenarios, sobre todo a plena luz del día en los teatros públicos, sin techo, del Londres de Shakespeare. Pero ni el público ni el dramaturgo pensaron en lo imposible. Lo intentaron todo en su escenario, incluso sus países de las maravillas.

Cuando Shakespeare comenzó a escribir obras de teatro, el escenario estaba ya bastante acostumbrado al romance. Fueron las comedias románticas de Lyly y Greene, con sus bellas y desinteresadas doncellas, sus prodigios y espectáculos, sus ingeniosos diálogos y sus bufones, sus cruces de amantes y su final feliz, sus utopías y hadas, las que prepararon el terreno para *Los dos hidalgos de Verona* y *Trabajos de amor perdidos*, y para su gran serie de obras románticas, desde *El sueño de una noche de verano* hasta *Noche de reyes*. Pero por el año 1600, tanto los dramaturgos como el público, cansados de tanto romance, empezaron a inclinarse por algo más sofisticado y los teatros recurrieron a obras de otro tipo, a tragedias que buscaban los caminos del crimen y el castigo, y a comedias que trataban la locura y el vicio contemporáneo con realismo y sátira. Desde la fecha del estreno de *Noche de Reyes*, en 1601, hasta la de *Cimbelino*, en 1609, es difícil encontrar una comedia romántica en los escenarios londinenses. Ya no hay maravillas ni magia, ni princesas encantadas disfrazadas de pajes, ni bosques y terrazas a la luz de la luna, ni rescates ni reconciliaciones, ni mucho sentimiento ni diversión, salvo la que se pueda encontrar en el lado sórdido de la realidad. Shakespeare parece haber tenido poco gusto por la sátira y no escribió obras de teatro satíricas, ni tampoco realistas, aunque estuvieran de moda. Pero durante estos ocho años, sus comedias, como, por ejemplo, *Medida por medida*, no tienen encanto romántico, y su energía se concentra en la tragedia. La atención se centra en la pompa y majestuosidad de la esperanza humana, y el inevitable desperdicio y fracaso de los logros humanos; para su *Hamlet, Otelo, Macbeth, Coriolano* y demás, no hubo bosques de Arden ni islas encantadas. Al igual que sus colegas, abandonó, al parecer, el gusto por la comedia romántica.

¿Qué le hizo interesarse de nuevo por el romance? En mi opinión, fue el éxito de dos jóvenes y brillantes dramaturgos, Beaumont y Fletcher, quienes, en una serie de notables dramas, hicieron que lo romántico volviera a ser popular en los escenarios londinenses. Sus obras de carácter romántico se sirven de muchos de los viejos incidentes y personajes, pero en general el carácter difiere notablemente de las obras de una o dos décadas anteriores. Difícilmente se pueden considerar comedias, aunque tienen sus pasajes humorísticos, sino tragedias y tragicomedias que tratan de asuntos y circunstancias más emocionantes y menos ingenuos que en las obras anteriores. En lugar de una combinación de romance y comedia, sus obras apuntan a un contraste entre lo trágico y lo idílico. Opone una historia de pasión amatoria a otra de sentimiento idealizado, y se deleita con una sucesión de emociones a medida que nos lleva del suspense a la sorpresa con ingeniosas artes escénicas. Hasta el final, apenas se puede predecir si la trama acabará bien o en tragedia. Su tierra de romance es algo artificial y teatral; pero sin embargo, tiene, como en obras anteriores, aventuras, peligros, fugas, rescates, celos, sospechas, reconciliaciones y reencuentros. Y tiene sus idilios en bosques, doncellas enamoradas y príncipes extasiados. Es una tierra de emociones y sorpresas, pero también de idealización y poesía. Porque en todo ese coro de poetas que escribieron para los teatros de Londres no había nadie más que Shakespeare capaz de superar a estos jóvenes dramaturgos para convertir los asuntos y las emociones de la humanidad en copiosos versos, ora tumultuosos, ora plácidos, pero siempre rebosantes de elegancia y melodiosa fluidez.

Si el éxito de las obras de Beaumont y Fletcher dirigió de nuevo la mente de Shakespeare hacia temas románticos, la prueba más clara de su deuda con ellos se encuentra en *Cimbelino*, que tiene muchas similitudes relevantes con *Filastro*. Las dos obras siguientes, *Cuento de invierno* y *La Tempestad*, no tienen ningún parecido con las tragicomedias románticas de dramaturgos más jóvenes. Shakespeare, al igual que ellos, tenía toda la tradición del drama romántico en la que basarse y, en particular, tenía su propio trabajo. No necesitaba que le mostraran cómo representar el amor romántico, heroínas encantadoras o pretendientes ardientes. Para escenas de borrachera, como las de Trínculo y Estéfano, o para diálogos como el poco ingenioso de Gonzalo y los cortesanos, tenía muchos pasajes de sus propias obras que le servían de guía. Y, si *Cimbelino* es un ejemplo de experimento relativamente exitoso con nuevos métodos, *Cuento de invierno*, y aún más, *La Tempestad*, me parecen incursiones triunfantes y no guiadas propias en este particular terreno. No obstante, creo que Shakespeare se sintió atraído por este campo debido a los éxitos de la escena contemporánea, y al buscar tramas nuevas e inventadas en las que contrastaran elementos trágicos e idílicos, situaciones inusuales y rápidamente cambiantes, estilo libre y paréntesis, en la elaboración del desenlace se fue adaptando a las nuevas fórmulas y modas en las que Beaumont y Fletcher eran líderes.

Otra innovación vino del teatro, pero esta vez del de la corte. Los espectáculos de la corte del tipo que hemos señalado como característicos de los primeros años del reinado de Isabel habían dado paso a un espectáculo mejor dispuesto y más suntuoso, la Mascarada de la Corte. Bajo Jacobo I, con el gran arquitecto Inigo Jones para diseñar las máquinas y el escenario, y con Ben Jonson para escribir los libretos, una de estas mascaradas era un espectáculo prodigioso. Se hacían en ocasiones festivas en la corte y, a menudo, costaban miles de libras. No se hacían más de una o dos funciones como máximo, siempre de noche, y la fórmula seguida era distinta. El núcleo del espectáculo era el baile de máscaras en el que participaban los miembros de la corte, incluso el rey y la reina. Esta danza o «mascarada», a menudo elaborada en varios compases, se hacía casi al final del espectáculo. Como acompañamiento había (1) música, instrumental y vocal, (2) una obra de teatro de cierta duración, generalmente con temas mitológicos o alegóricos, (3) varias danzas grotescas de artistas profesionales, que precedían a la mascarada principal y estaban, a menudo, integradas en la obra, y (4) un escenario espectacular.

Estos espectáculos se daban en grandes salones, brillantemente iluminados. El escenario estaba espléndidamente decorado. Dioses y diosas flotaban entre las nubes, y se ideaban complicadas máquinas y escenas. En una mascarada, unos años antes de *La Tempestad*, «se vio un mar artificial salir disparado en el escenario, (esta era la maquinaria: un gran escenario de casi metro y medio de altura colocado en caballetes) sobre el que había una gran concha cóncava como madreperla» que contenía a los enmascarados y era transportada por muchos monstruos marinos escondidos por portadores de antorchas. Los trajes de los enmascarados eran de colores brillantes y estaban llenos de joyas. A menudo eran extraños; pero Inigo Jones conocía los monumentos de la antigüedad clásica y los logros artísticos de la Italia del Renacimiento tan bien como Jonson conocía la literatura clásica y humanística. Lo normal es que las representaciones vivientes no fueran rivales indignos en riqueza y color de los frescos con los que Rubens había decorado el techo de Banqueting Hall.

Estos epectáculos tan caros estaban fuera del alcance de los teatros profesionales, pero los dramaturgos frecuentemente encontraban algo que pudiera adaptarse o imitarse para el escenario público. Por lo tanto, la danza de los sátiros de *Cuento de invierno* (se anuncia que tres de ellos ya se presentaron ante el Rey) parece tomada de la antimascarada del Oberon de Ben Jonson. En dos obras de teatro de casi la misma fecha hay un esfuerzo bien definido por combinar la mascarada y el drama normal en un entretenimiento dramático distintivo y novedoso, en las Cuatro obras en una de Beaumont y Fletcher, y en *La Tempestad* de Shakespere. *La Tempestad* siempre ha sido una obra espectacular en el escenario, y así debió de parecerle a él: un espectáculo con muchas de las características de las mascaradas de la corte.

Hay música y canto. Ariel, Próspero e incluso Cáliban son figuras adecuadas para un espectáculo de la corte. La «máscara propiamente dicha» se utiliza para celebrar los esponsales en el cuarto acto: una forma simplificada de mascarada como la que se daría en la corte. Evidentemente, hay algo de artificio: el desfile insustancial que provoca las famosas líneas de Próspero. Aparecen Ariel, Iris, Ceres y Juno, Juno descendiendo de los cielos. Hay música y una canción, y Fernando grita:

Esta es una visión majestuosísima, y
De mágica armonía. ¿Puedo acaso atreverme
A creer que son espíritus?

Y cuando Próspero dice que hay espíritus convocados por su arte, Fernando exclama:

Viviría aquí siempre;
Con tantas maravillas de padre y esposa,
Esto es el Paraíso.

Ya no es Miranda, sino el artificio y el vestuario de los espectáculos cortesanos los que convierten la plataforma en territorio de romance.

Luego entran las Ninfas, «Náyades de los arroyos serpenteantes con coronas de juncia», y los Segadores quemados por el sol, «con sombreros de paja de centeno». Estos son los principales enmascarados y se unen en una graciosa danza, hasta que con el repentino comienzo de Próspero, «con un ruido extraño, hueco y confuso, se desvanecen pesadamente». Más ingenioso es el uso que hace Shakespeare de las antimascaradas, es decir, bailes de artistas profesionales vestidos con disfraces de fantasía como animales, sátiros, estatuas, brujas, etc. Tales son las variadas formas del III.3, que primero traen el banquete y nuevamente entran «y bailan con simulacros y cortes y llevando la mesa»; y de la IV.1, los diversos espíritus que «en forma de perros y sabuesos» cazan alrededor de los borrachos conspiradores mientras Próspero y Ariel los atacan.

Entonces, en los escenarios en los que durante mucho tiempo se había interpretado romance, Shakespeare planeó algo nuevo y maravilloso. Para ello revivió algunas de sus antiguas creaciones de Illyria y Arden, y Fairyland, todas transformadas por

> un cambio del mar
> En cosa rica y singular.

Y agregó algunas novedades y toques excitantes para seguir el ritmo de las emocionantes tragicomedias de Beaumont y Fletcher. Y, del mismo modo que años antes, en el *Sueño de una noche de verano*, había conseguido sacar a los niños algunas pistas sobre los entretenimientos cortesanos, después concibió un espectáculo que, en la medida de lo posible, podría rivalizar con los grandes espectáculos de la corte jacobina. No necesitó ir más allá del drama para encontrar abundantes sugerencias para su nueva aventura.

Pero tenía que ser tanto una obra de teatro como un espectáculo, y debía tener algún tipo de trama. Tal vez encontró una novela italiana con la historia. Nadie ha sido capaz de encontrarla desde entonces. Pero historias algo similares a la de *La Tempestad* ocurren en un cuento español y en una obra de teatro alemana. Hubo, en efecto, un Alfonso real, rey de Nápoles, y un duque de Milán, desposeído de sus riquezas, y alguien llamado Próspero. Sea cual fuere la historia que encontró Shakespeare, mi impresión es que se olvidó de la mayor parte. Las intrigas palaciegas, las rivalidades de los duques usurpadores, (frustradas por el amor a primera vista de sus hijos), las peligrosas aventuras y los desenlaces provocados por la magia eran lugares comunes de la ficción. Shakespeare quería forjarlos en una fábula más sorprendente.

Quizás fue en el momento en que estaba más centrado en este tema cuando el marinero de la flota de Sir Thomas Gates apareció. Incluso es posible que todo lo que le soltó el marinero no fuera suficiente. Porque mientras escribía, Shakespere recordó algunas líneas de su eterno favorito, su Ovidio, para completar una de las descripciones de Próspero; y usó el Montaigne recién leído para el relato de Gonzalo sobre una comunidad utópica. Y algunas bellas líneas de *La Tragedia de Darius* de Sir William Alexander parece que hubieran permanecido en su memoria cuando escribió sobre el gran globo terráqueo que es un espectáculo y la vida como un sueño. Mientras escribía sobre Próspero, también pensaba en su propia carrera, en su arte, tan potente, en su anhelada jubilación y en el estiaje del espectáculo de la vida y el arte.

Quizás, también, pudo haber pensado en algunas de sus ingeniosas disputas con Ben Jonson en Mermaid Tavern. Jonson era un estricto cumplidor de las reglas, aunque se debió lamentar de la dificultad de respetar la llamada "Unidad de Tiempo" en el escenario inglés. Pensaba que las mascaradas debían distinguirse de las comedias, y no le gustaban las mezclas fantásticas. De hecho, unos años más tarde se permitió burlarse del «monstruo-sirviente» de Shakespeare y de «aquellos que engendran cuentos, tempestades y cosas por el estilo». Shakespere, al recordar alguna discusión de este tipo, pudiera haberse dicho a sí mismo: «Bueno, aquí hay una obra que no puede ser más fantástica, y solo para demostrarle a Benjamin lo que se puede hacer, la mantendré en estricto acuerdo con sus unidades clásicas de tiempo y lugar.» En este caso, por una vez se esforzó mucho en mantener toda la acción dentro del tiempo de la representación escénica, aunque al hacerlo cometió un error de tipo náutico, el único, al olvidar que la medida del tiempo del marinero era el reloj de arena. Cuando Próspero consulta por primera vez a Ariel, se nos dice precisamente que son las dos de la tarde, y justo antes del final del drama se nos dice que han transcurrido tres horas.

Me ha llevado demasiado tiempo enumerar el material, aparte de lo obtenido del marinero de Kipling, con el que trabajó la mente fantasiosa de Shakespeare. Espero haber sugerido que casi siempre, en este extraordinario vuelo de su imaginación, escribía como un dramaturgo y no sin aprovechar al máximo las sugerencias y oportunidades que brindaba el teatro contemporáneo. Y me gustaría sugerir también que para los dramaturgos de ese teatro se abrieron muchas y muy buenas oportunidades. Los marineros de un nuevo mundo podían cruzar el umbral del dramaturgo; y los dramaturgos entonces podían pensar en magos y monstruos y hadas, en diosas y borrachuzos, en uniones ideales, las tres unidades, y el verso hermoso, todo en términos de escenario. A través de algunos de los artefactos ensayados, y por algunas de esas influencias, la imaginación de Shakespeare debe haber sido conducida a la construcción de una obra espectacular que ganaría el aplauso tanto en el teatro de Blackfriars como en la corte. Tal vez sea a partir de tan variada madera flotante con que se crean todas las islas encantadas.

Así fue que Shakespeare escribió *La tempestad*

por Rudyard Kipling

Al Editor de *The Spectator*:

Su artículo sobre «Paisaje y Literatura» en la revista *The Spectator* del día 18 de junio contiene, entre otros pasajes sugerentes, lo siguiente: «¿Pero de dónde viene la visión de la isla encantada de *La Tempestad*? No existía en el mundo de Shakespeare, y sin embargo la fabricó con la misma materia con la que se tejen los sueños».

¿Puedo sugerir, como en su día hiciera Malone, que hay una relación entre la obra y el naufragio de Sir George Somers[6] en Isla Bermuda en 1609? Me atreveré, además, a decir que me parece posible que la visión se haya construido a partir de un material tan exageradamente prosaico como es la conversación con un marinero medio borracho en un teatro. Así pues:

El director, que escribe y escenifica obras de teatro, por casualidad oye moverse entre su público a un marinero que habla con su acompañante sobre un lamentable naufragio, y sobre el comportamiento de los pasajeros, por quienes la tripulación ha sentido siempre un natural

6 A Sir George Somers se le recuerda por ser el fundador de la colonia inglesa de las Bermudas, también conocida como las Islas Somers. Edward Malone fue un estudioso irlandés de Shakespeare que produjo una edición de diez volúmenes sobre las obras de Shakespeare.

desprecio. Describe, con la riqueza de detalles propia de la narrativa de los marineros, las medidas que tomaron para sacar al barco de la orilla de sotavento: qué se dijo, cómo trabajaron con el timón y las velas, y qué hicieron los pasajeros. Y una frase mordaz, reproducida así: «¿Qué importa a estos pendencieros el nombre del Rey?»

Llega la frase al oído del director, y este se detiene detrás de los charlatanes. Quizá solo usó una décima parte de la conversación sobre el mar (dicha, mano en el hombro, con honestidad), y la retuvo automática e inconscientemente. Tampoco es demasiado rocambolesco imaginar a su acompañante darse media vuelta mientras el marinero, maldiciendo su suerte como hacen los marineros, dice que hay quienes no darían ni un chelín a un hombre pobre pero gastarían diez para ver, por un agujerito, a un indio muerto. De haber estado en el extranjero, y no en Inglaterra, hubiera sido posible mostrar a la gente algo así de extravagante.

¿Es demasiado precipitado considerar que, curiosamente, después del trago seguido del circunloquio (el director había tocado muy poco en sus obras el tema marítimo de primera mano, y su instinto para las nuevas palabras se podría haber despertado por lo que ya había captado), con la bebida siguiera la minuciosa descripción del marinero sobre cómo atravesó los arrecifes hasta llegar a la isla de su calamidad (o más bien, a las islas, porque había muchas)? Algunas casi que le caben a uno en el bolsillo. Las sembraron a voleo como... como si tiráramos cáscaras de nuez sobre un escenario.

«Muchas islas, es verdad», dice pacientemente el director, y después Sebastián le dice a Antonio:

«Creo que se llevará la isla a su casa en el bolsillo y se la dará a su hijo a cambio de una manzana».

A lo que Antonio responde:

«Y sembrando sus granos en el mar, producirá más islas».

«Pero, ¿cómo era la isla?», pregunta el director. El marinero trata de explicar. «Era verde, con amarillo en ella; un país de color rojizo» —el color, es decir, de Bermudas hoy, cubierta de cedros y playas de coral— «y el aire hacía que uno se adormeciera, y el lugar estaba lleno de ruidos» —el murmullo y el rugido del mar entre las islas y entre los arrecifes— «y había un viento del sudoeste que lo abrasaba a uno por todas partes». El marinero isabelino no distinguía sin dificultad las ampollas de los sarpullidos causados por el calor pegajoso, pero el bermudeño de hoy le dirá que el viento del sudoeste o del faro en verano trae esa plaga y malestar general. Que la roca de coral, azotada por el mar, suena hueca con extraños sonidos, y que a su vez resuenan los vientos en los pequeños valles, es bien sabido.

(Mi bodega está en una roca junto al mar donde se esconde mi vino).

No hay otra cueva en unas dos millas.

Aquí no hay arbusto ni matorral; uno está expuesto a la ira de «la misma nube negra de allá», y las corrientes hacen encallar los restos del naufragio. La descripción fue tan buena que, después de trescientos años, un viajero extraviado, y no erudito de Shakespeare, reconocería al instante el viejo cúmulo.

Hasta ahora, bien. Llegado a este punto, el director no tiene más que unas pocas sugerencias para la escena de apertura y la noción de una isla misteriosa. El marinero (uno no puede creer que Shakespeare fuera a economizar en pequeñeces) se sume en una embriaguez más profunda. De repente, se lanza a contar una absurda historia sobre él y sus compañeros, sobre cómo fueron arrojados a tierra y separados de sus oficiales, quedando aterrorizados en una playa encantada por el diablo, con la cabeza aturdida por los vapores del licor. Allí, encontraron a un náufrago escondido bajo las costillas de una ballena muerta que olía abominablemente. Sacaron al hombre por las piernas —él pensó que eran diablillos— y le dieron de beber. Entonces, una vez disipado el orden, se sintieron libres para atacar por ellos mismos, desafiar a sus oficiales y tomar posesión de la isla. Probablemente, el narrador describió a sus compañeros de aventura como si fueran idiotas. Él era el único hombre sobrio del grupo.

Así que marcharon tierra adentro, y les fue mal mientras se tambaleaban de un lado a otro por esa tierra pestilente. Se habían pinchado con palmitos, y las ramas de cedro les arañaba la cara. Luego encontraron y robaron algunas prendas que sus oficiales habían dejado colgadas para secarse. Pero pronto cayeron en un pantano y, lo que es peor, en manos de sus oficiales; y la gran expedición terminó en lodo y fango. Verdaderamente la isla estaba embrujada. Si no, ¿de qué sus calambres y enfermedades? Shack nunca hubiera tenido la intención de emborrachar a un hombre más allá de lo razonable. Estaba dispuesto a darle lo que hiciera falta; pero lo que le sucedió en el estómago y luego en la cabeza fue la magia más pura que un hombre honesto haya conocido jamás.

Un marinero borracho de hoy en día que deambulase por las Bermudas, probablemente simpatizaría con él; y hoy, como entonces, si uno toma el camino interior más sencillo desde la playa de Trínculo, cerca de Hamilton, el camino que infaliblemente seguiría un borracho, termina en un pantano. El único punto en el que nuestro marinero no se detuvo fue en apreciar que él y los demás sufrían de un alcoholismo agudo combinado con una exposición al peligro que les destrozaba los nervios. De ahí la magia. Que un mago controlara una isla así era exigencia de las creencias de todos los navegantes por esas fechas.

Acepte esta teoría y reconocerá que *La Tempestad* se le ocurrió al productor estando cuerdo y sereno un día cualquiera. Puede que estuviera buscando una nueva obra; es posible que se hubiera propuesto improvisar sobre una vieja, digamos, *Aurelio e Isabella*; o puede que simplemente estuviera esperando que le llegara la inspiración. Pero es por toda la riqueza de Próspero contra las pecanas de Cáliban que a él, en buena hora, enviado por el cielo se le apareció el Estéfano original recién arribado de los mares y medio mares de más allá. Estéfano le contó su historia del tirón, un discurso de dos horas del más glorioso absurdo. Su prodigalidad en los detalles al principio, cuando estaba más o menos sobrio, suministró y, con seguridad, sentó las bases de la obra de acuerdo con el principio por el cual una historia, para resultar realmente verídica, debe estar sustentada por hechos. Sus divagaciones de magia y sus incomprensibles emboscadas, cuando estaba totalmente borracho (y este es justo el momento en que un hombre menos inteligente que Shakespeare habría pagado la cuenta y lo habría echado) sugirieron al productor la nota peculiar de su mecanismo sobrenatural.

Verdaderamente fue un sueño, pero para que no quepa duda de su origen o de su deber, Shakespeare también ha hecho inmortal al soñador.

La carta de Rudyard Kipling se publicó originalmente en The Spectator (de Londres) el 2 de julio de 1898. También fue aportada como contribución a A Book of Homage to Shakspere (Oxford University Press, 1916, pp. 200-203).

Introduction

by Ashley H. Thorndike

MR. KIPLING'S brilliant reconstruction of the genesis of the 'Tempest' may remind us how often that play has excited the creative fancy of its readers. It has given rise to many imitations, adaptations, and sequels. Fletcher copied its storm, its desert island, and its woman who had never seen a man. Suckling borrowed its spirits. Davenant and Dryden added a man who had never seen a woman, a husband for Sycorax, and a sister for Caliban. Mr. Percy Mackaye has used its scene, mythology, and persons for his tercentenary Shaksperian Masque. Its suggestiveness has extended beyond the drama, and aroused moral allegories and disquisitions. Caliban has been elaborated as the Missing Link, and in the philosophical drama of Renan as the spirit of Democracy, and in Browning's poem as a satire on the anthropomorphic conception of Deity.

But apart from such commentaries by poets and philosophers, the poem has lived these many generations in the imaginations of thousands. There, the enchanted island has multiplied and continued its existence. Shelley sang,

> Of a land far from ours
> Where music and moonlight and feeling are one.

Shakspere created that land as the possession of each of us. Not far removed, but close to the great continent of our daily routine and drudgery, lies this enchanted island where we may find music and moonlight and feeling, and also fun and mischief and wisdom. There, in tune with the melody and transfigured as by the charm of moonlight, we may encounter the nonsense of drunken clowns, the mingled greed and romance of primitive man, the elfishness of a child, the beauty of girlhood, and the benign philosophy of old age. We may leave the city at the close of business, and, if we avoid the snares of Caliban and Trinculo, we may sup with Prospero, Ariel, and Miranda.

How did Shakspere discover this enchanted island? From what materials did he create the "baseless fabric of this vision"? What had London playhouses to do with these spirits of thin air? On what books or plays were these dreams made? Out of the issues of rivalry and profit which beset the King's company of players at the Globe and the Blackfriars, how came this "insubstantial pageant"? We have been told that the Sonnets are the key with which to unlock Shakspere's heart; and perhaps if we could answer all these questions we might have the key to his imagination. I do not believe, however, that his imagination was lockt up. Rather it was open wide to many impulses, hospitable to countless influences. This apparently is the opinion of Mr. Kipling, who suggests that Shakspere's "vision was woven from the most prosaic material, from nothing more promising, in fact, than the chatter of a half-tipsy sailor at the theater."

Mr. Kipling writes as one inventor of tales about another. Certainly no one is better qualified to trace out the processes of the creative imagination and to discover the very fabrics of its visions. In those marvelous stories of his, who has not recognized a Shaksperian catholicity in the quest of fact and a Shaksperian alchemy in its transformation? He has himself created many enchanted islands and he knows whereof they are made. The sailor just home from a famous shipwreck on the Bermudas might have stept out of one of Mr. Kipling's tales; but he becomes a factor in some very acute criticism, for the sailor's "profligate abundance of detail at the beginning, when he was more or less sober, supplied and surely established the earth-basis of the play in accordance with the great law that a story to be truly miraculous must be ballasted with facts."

Mr. Kipling's letter has found a place in all subsequent critical discussions of the play, and has become a contribution to that historical research which seeks to discover the ways and means by which literature is made. It may not be unseemly therefore to bring together as an introduction and commentary some other suggestions that criticism has advanced in regard to the influences and incentives that directed Shakspere's art in this play, written at the very close of his career and at the moment when the Elizabethan drama had reached its highest development.

Recent investigation has added to our certainty that the play was written in 1610 or 1611, for Mr. Ernest Law has shown that the supposedly forged entry of its performance at court on November 1, 1611 is genuine. Various passages in the play indicate that it was not written before July 1610, when Sir Thomas Gates and his ships sailed up the Thames with news of the safety of the fleet that had departed from Plymouth over a year before. This fleet of nine vessels had started for the new colony in Virginia, had been scattered by a great storm, and the ship 'Sea Venture' with the leaders aboard, Sir George Somers, Sir Thomas Gates, and Captain Christopher Newport, had been cast ashore on one of the Bermudas. But there had been no loss of life; the adventurers had lived comfortably for many months, had built two pinnaces from the materials of the wreck, and had rejoined their comrades in Virginia. Before the arrival of Gates from Virginia, reports of the wreck had reached London, so his safe return was a nine days wonder. Full accounts were written. Two were printed in the autumn, and others circulated in manuscript. Shakspere certainly read some of the pamphlets recounting the strange experiences of the expedition, and he made some use of other voyagers' tales, as Raleigh's 'Discovery of Guiana.' But he may have heard much more than he read in the common gossip of the day. Or, enter Mr. Kipling's sailor, "the original Estéfano fresh from the seas and half-seas over."

From this original Estéfano or from the voyagers' tales may have come some hints for Caliban. There were many strange accounts of cannibals and monsters. An earlier narrative tells of "a sea monster ... arms like a man, without hair and at the elbows great fins like a fish." Indians had been brought back from America; and only a few years before the play several had been exhibited and aroused much curiosity. As Trinculo observes, "When they will not give a doit to relieve a lame beggar, they will lay out ten to see a dead Indian." Caliban was doubtless intended to be of the earth, earthy, the opposite of Ariel, the spirit of the air, and was also intended as a sketch of the savage resisting the mastery of the European. But, brutish and savage though he be, he too is a dweller in the enchanted island. For him too life has its romance. There is no finer touch of Shakspere's magic in the whole play than this. Marco Polo had recounted that[Pg 7] "You shall heare in the ayre the sound of tabers and other instruments, to put the travellers in fear, &c., by evill spirits that make these sounds and also do call ... travellers by their names." But Shakspere's Caliban reassures his companions frightened by Ariel playing on a tabor.

Be not afeard. The isle is full of noises,
Sounds and sweet airs, that give delight and hurt not.
Sometimes a thousand twangling instruments
Will hum about mine ears, and sometimes voices
That, if I then had wak'd after long sleep,
Will make me sleep again; and then, in dreaming,
The clouds methought would open and show riches
Ready to drop upon me, that, when I wak'd,
I cried to dream again.

The enchanted island owes still more to preceding voyagers in the great seas of romance. Shakspere had made many earlier voyages thither, but he was not the first Columbus to search out the undiscovered lands of illusions and enchantments. Fortunately for us he lived in the period of imaginative adventure and steered his crafts on the oceans whence many predecessors had returned treasure-laden. This is no place to relate the various circumstances that placed the men of the sixteenth century in a fortunate[Pg 8] position for Romance, or to indicate the long development of romantic-comedy in which Shakspere played so great a part. But surely the interview between the dramatist and the sailor would have had very different results if the Elizabethan theater had not been accustomed to the union of the laughable and the romantic, the comic and the marvellous. Such a union is not a common one. There are no romantic-comedies in the literature of antiquity, and very few in modern literature since Shakspere's death. He found a stage that was already the home of romance, used to fantasy and medley, and used also to fill out a three hours entertainment with sentiment and fun, music and monsters, idealized heroines and puns.

Romance had found its readiest entrance to the stage thru the shows and spectacles which delighted the courts of the Tudors. Venus and Diana, or Loyalty and Sedition, or Red Cross Knight and Fairy Princess, or whoever else, if sumptuously arrayed and bejeweled and sufficiently attended, might be wheeled in on a huge car representing castle or garden or island, decorated with flowers and spangles, begin with a tableau and end[Pg 9] with a dance. Along with all this splendor, it would not be thought inappropriate to have a clown dance a jig or mimic the antics of a drunken man. Such spectacles soon became the joy of the public as well as of the court, and were imitated by many a rustic Holofernes or Bottom. Nymphs and fairies, the Nine Worthies, or the Golden Age might find representation by almost any village pedagog and his school children.

Out of such entertainments there soon developt a kind of comedy, at first the peculiar property of the children of the royal choirs who performed at court, but soon adapting itself to the adult companies and public theaters. This comedy availed itself of any stories that might come to hand, so they were strange, unusual, marvelous, impossible enough, and accompanied them with music, dancing, and spectacle, and with lively jests in the mouth of the smallest boys, dressed as pages.

Endymion in love with the moon, the judgment of Paris, Pandora and her varied actions under the seven planets, the rival magic of Friars Bacon and Bungay, Jack the Giant Killer, Alexander the Great in love with Campaspe who preferred Apelles—these are some of the themes. Astrologers, Amazons, fairies, sirens, witches, ghosts, are some of the personages who appear along with the singing pages and Olympian deities. Of course, these persons and these marvels are impossible on any stage, most of all by daylight in the roofless public theaters of Shakspere's London. But neither audience nor dramatist thought of impossibility. They tried everything on their stage, even their wonderlands.

When Shakspere began to write plays, the stage was well used to romance. It was the comedies of Lyly and Greene, with their beautiful and unselfish maidens, their wonders and shows, their witty dialogs and jesters, their lovers' crosses and final happiness, their Utopias and fairies, which prepared the way for Shakspere's 'Two Gentlemen of Verona' and 'Love's Labor's Lost,' and for his great series of romantic plays from 'A Midsummer Night's Dream' to 'Twelfth Night.' But by 1600, both dramatists and audiences had become somewhat sophisticated and tired of romance, and the theaters turned to plays of a different fashion, to tragedies that searched the ways of crime and punishment, and to comedies that treated contemporary folly and vice with realism and satire. From the date of 'Twelfth Night,' 1601, to that of 'Cymbeline,' 1609, it is difficult to find a romantic-comedy on the London stage. There are no more marvels and magic, no charming princesses disguised as pages, no moonlit forests and terraces, no rescues and reconciliations, not much sentiment and no fun except what may be found on the seamy side of reality. Shakspere seems to have had little taste for satire and he wrote no satirical and realistic plays of the sort temporarily in fashion. But during these eight years, his comedies, like 'Measure for Measure,' have no romantic charm, and his energies are given to tragedy. He is occupied with the pomp and majesty of human hope and with the inevitable waste and failure of human achievement; but for his Hamlet, Othello, Macbeth, Coriolanus and the rest, there were no forests of Arden and no enchanted islands. Like his associates, he seems to have forsaken romance.

What turned his imagination from tragedy back to romance? In my opinion it was the success of two brilliant young dramatists, Beaumont and Fletcher, who, in a series of remarkable dramas made romance again popular on the London stage. Their romantic plays employ many of the old incidents and personages, but in general character differ strikingly from the plays of a decade or two earlier. They are hardly comedies at all, tho they have their humorous passages, but tragedies and tragi-comedies dealing with more thrilling circumstances and less naive wonderments than the earlier plays. Instead of a combination of romance and comedy, they aim at a contrast of the tragic and idyllic. They oppose a story of sexual passion with one of idealized sentiment, and delight in a succession of thrills as by clever stagecraft they hurry us from one suspense into another surprise. Until the very end you can scarcely guess whether it will be tragic or happy. Their land of romance is somewhat artificial and theatrical; but yet it has as of old its adventures, dangers, escapes, rescues, jealousies, suspicions, reconciliations and re-unions. And it has its idyls of forests, and fountains of love-lorn maidens and enraptured princes. It is a land of thrills and surprises, but also of idealization and poetry. For in all that choir of poets who wrote for the London theaters there was no one except Shakspere who could excel these young dramatists in their power to turn the affairs and emotions of mankind into copious verse, now tumultuous, now placid, but always bubbling with fancy and flowing melodiously.

If Shakspere's mind was directed again to romantic themes and situations by the success of Beaumont and Fletcher's plays, the clearest evidence of his indebtedness to them is to be found in his 'Cymbeline', which has many marked similarities to their 'Philaster'. In his two plays which follow, the 'Winter's Tale' and the 'Tempest', there is no detailed resemblance to the romantic tragic-comedies of the younger men. Shakspere, as well as they, had the whole tradition of romantic drama to draw from, and in particular he had his own past practice. He did not need to be shown how to depict romantic love, or charming heroines, or ardent suitors. For drinking scenes, like those of Trinculo and Stephano, or for dialog like that not very witty one of Gonzalo and the courtiers, he had many passages in his own plays that served as guides. Moreover, if

'Cymbeline' is an example of only partially successful experimentation with new methods, the 'Winter's Tale,' and still more, the 'Tempest,' seem to me triumphant and unguided excursions of his own in the new field. But I think that Shakspere was attracted to this field by contemporary stage-successes, and that in seeking for novel and invented plots, in the contrast of tragic and idyllic elements, in the unusual and rapidly shifting situations, in the loose and parenthetical style, and in the elaboration of the dénouement, he was adapting himself to the new formulas and fashions in which Beaumont and Fletcher were the leaders.

Still another suggestion came from the theater, but this time from the court. The court shows of the sort which we have noticed as characteristic of the early years of Elizabeth's reign had given place to a better ordered and more sumptuous spectacle, the Court Masque. Under James I, with the great architect Inigo Jones to devise the machines and setting, and with Ben Jonson to write the librettos, one of these masques was a magnificent affair. It was given on festal occasions at court and often cost thousands of pounds. It had but a single or at most two performances, always at night, and it came to follow a distinct formula. The kernel of the show was the masked dance in which members of the court, even King and Queen, took part. This dance or "masque proper," often elaborated into several measures, came near the end of the show. As accompaniments there were (1) music, instrumental and vocal, (2) a play of some length, usually with mythological or allegorical motive, (3) various grotesque dances by professional performers, preceding the main masque and often integrated with the play, and (4) a spectacular stage-setting.

These shows were given in great halls, brilliantly lighted. The stage was splendidly decorated. Gods and goddesses floated among the clouds, and elaborate machines and scenes were devised. In one masque, a few years before the 'Tempest,' "an artificial sea was seen to shoot forth over the stage as it flowed to land, [this was the main machine—a great stage four feet high on trestles] on which was a great concave shell like mother of pearl" containing the masquers and conveyed by many sea-monsters hidden by the torch-bearers. The costumes[Pg 16] of the masquers were in brilliant colors and heavily jeweled. These were often bizarre; but Inigo Jones knew the monuments of classical antiquity and the artistic achievements of Renaissance Italy as well as Jonson knew classical and humanistic literature. The living pictures were often in richness and color no unworthy rivals of the frescoes with which Rubens had decorated the ceiling of the Masquing Hall.

Such expensive spectacles were beyond the reach of the professional theaters, but contemporary dramatists frequently found something that could be adapted or imitated for the public stage. So the antick dance of satyrs in a 'Winter's Tale' (three of whom are announced as having already appeared before the King) seems borrowed from an anti-masque in Ben Jonson's 'Masque of Oberon.' In two plays of nearly the same date there is a well defined effort to combine the masque and the regular drama into a distinctive and novel dramatic entertainment, in the 'Four Plays in One' of Beaumont and Fletcher and the 'Tempest' of Shakspere. The 'Tempest' has always been a spectacular play on the stage, and so it must have appeared to him—and as a spectacle having many of the features of the court masque.

There is music and song. Ariel, Prospero, and even Caliban are proper figures for a court show. The "masque proper" is used to celebrate the betrothal in the fourth act. This is a simplified form of such a masque as would be given at court. There is evidently some machinery—it is the insubstantial pageant that calls forth Prospero's famous lines. Ariel, Iris, Ceres, and Juno appear, Juno descending from the heavens. There is music and a song, and Ferdinand cries:

> This is a most majestic vision, and
> Harmonious charmingly. May I be bold
> To think these spirits?

And when Prospero says they are spirits summoned by his art, Ferdinand exclaims

> Let me live here ever;
> So rare a wond'red father and a wise
> Makes this place Paradise.

It is not Miranda now, but the machine and costumes used in court-spectacles that turn the platform into a land of romance.

Then enter Nymphs, "Naiads of the winding brooks with sedg'd crowns," and Sun burnt Reapers, "with rye-straw hats." These are the main masquers and join in a graceful[Pg 18] dance, until upon Prospero's sudden start—"to a strange, hollow, and confused noise, they heavily vanish." More ingenious is Shakspere's use of the anti-masques—i.e. dances by professional performers drest in fantastic costumes as animals, satyrs, statues, witches, etc. Such are the several strange shapes of III.3, who first bring in the banquet and again enter "and dance with mocks and mows and carrying out the table"; and in IV.1, the divers spirits who "in shape of dogs and hounds" hunt about the drunken conspirators while Prospero and Ariel set them on.

For a stage, then, that had long been used to romance, Shakspere planned a new wonderment. For it he revived some of his old creations from Illyria and Arden, and Fairyland, all transformed by

a sea change
Into something rich and strange.

And he added some excitements and novelties to keep pace with the thrilling tragi-comedies of Beaumont and Fletcher. And just as years before, in the 'Midsummer Night's Dream,' he had drawn hints from the court entertainments by children, so now he conceived a spectacle that—so far as was possible—might rival the great shows of the Jacobean court. He did not need to go beyond the drama to find abundant suggestions for his new venture.

But this was to be a play as well as a show, and must have some kind of plot. Perhaps he found an Italian novella with the story. No one has been able to find it since then. But stories somewhat similar to that of the 'Tempest' occur in a Spanish tale and in a German play. There was indeed a real Alfonso, king of Naples, and a duke of Milan who was dispossesst, and another named Prospero. But whatever story Shakspere found, it is my notion that he forgot most of it. The palace intrigues, the rivalries of the banisht and usurping dukes, set at naught by the love at first sight of their children, the perilous adventures, and the dénouement brought about by magic, were commonplaces of fiction. Shakspere wanted to weld them into a more surprising fable.

Perhaps it was at the very moment when he was most intent on this problem that the sailor from the fleet of Sir Thomas Gates hove into view. Even the mariner's ballast[Pg 20] of facts did not quite suffice. As Shakspere wrote he recalled some lines from his old favorite Ovid to fill out one of Prospero's descriptions; and he used the newly-read Montaigne for Gonzalo's account of a Utopian commonwealth. And some fine lines from Sir William Alexander's tragedy of 'Darius' seem to have lingered in his recollection when he wrote of the great globe which is like a pageant and life that is like a dream. As he wrote of Prospero he thought too of his own career, of his own so potent art, of his promised retirement, and the fading pageants of both life and art.

Perhaps, too, he may have thought of some of his battles of wit with Ben Jonson in the Mermaid Tavern. Ben was a great stickler for the rules, though he lamented that the Unity of Time was very difficult to secure on the English stage. He thought masques should be kept distinct from comedies, and he had no liking for fantastic medleys. Indeed, a few years later he indulged in a scoff at Shakspere's "servant-monster" and at "those who beget tales, tempests, and such like drolleries." Shakspere, recalling some such discussion may have said to himself, "Well, here is a play as fantastic as possible, and just to show Benjamin what can be done, I will keep it in strict accord with his classical Unities of Time and Place." For this or some other propose he was for once at great pains to keep all the action within the time of the stage-performance, tho in doing so he makes his one nautical error by forgetting that the seaman's measure of time was a half-hour glass. When Prospero first consults Ariel we are precisely told that it is two o'clock in the afternoon, and just before the end of the drama we are told that three hours have elapst.

It has taken me too long to enumerate some of the materials in addition to those of Mr. Kipling's sailor with which Shakspere's fantasy worked. I hope I may have suggested that almost always, as here in this extraordinary flight of his imagination, he was writing as a playwright and not without full use of the hints and opportunities which the contemporary theater afforded. And I should like to suggest also that to the playwrights of that theater there were open many and great opportunities. Sailors home from a new world might cross the threshold of the dramatist; and dramatists then could think of magicians and monsters and fairies, of goddesses and drunken boors, of ideal commonwealths, the three unities, and beautiful verse, all in terms of the stage. Thru some such processes as have been rehearst, by some such influences, Shakspere's imagination must have been led to the construction of a spectacular play that would win applause both in the Blackfriars playhouse and at court. Perhaps it is out of such varied driftwood that all enchanted islands are created.

How Shakspere Came to Write the 'Tempest'

by Rudyard Kipling

To the Editor of The Spectator.

SIR:—Your article on 'Landscape and Literature' in the Spectator of June 18th has the following, among other suggestive passages:—"But whence came the vision of the enchanted island in the 'Tempest'? It had no existence in Shakspere's world, but was woven out of such stuff as dreams are made of."

May I cite Malone's suggestion connecting the play with the casting away of Sir George Somers on the island of Bermuda in 1609; and further may I be allowed to say how it seems to me possible that the vision was woven from the most prosaic material—from nothing more promising in fact, than the chatter of a half-tipsy sailor at a theater? Thus:

A stage-manager, who writes and vamps plays, moving among his audience, overhears a mariner discoursing to his neighbor of a grievous wreck, and of the behavior of the passengers, for whom all sailors have ever entertained a natural contempt. He describes, with the wealth of detail peculiar to sailors, measures taken to claw the ship off a lee-shore, how helm and sails were workt, what the passengers did and what he said. One pungent phrase—to be rendered later into:

'What care these brawlers for the name of King?'

—strikes the manager's ear, and he stands behind the talkers. Perhaps only one-tenth of the earnestly delivered, hand-on-shoulder sea talk was actually used of all that was automatically and unconsciously stored by the island man who knew all inland arts and crafts. Nor is it too fanciful to imagine a half-turn to the second listener as the mariner, banning his luck as mariners will, says there are those who would not give a doit to a poor man while they will lay out ten to see a raree-show,—a dead Indian. Were he in foreign parts exteavagante, as he now is in England, he could show people something in the way of strange fish. Is it to consider too curiously to see a drink ensue on this hint (the manager dealt but little in his plays with the sea at first hand, and his instinct for new words would have been waked by what he had already caught), and with the drink a sailor's minute description of how he went across the reefs to the island of his calamity,—or islands rather, for there were many? Some you could almost carry away in your pocket. They were sown broadcast like—like the nut-shells on the stage there.

"Many islands, in truth," says the manager patiently, and afterwards his Sebastian says to Antonio:

I think he will carry the island home in his pocket and give it to his son for an apple.

To which Antonio answers:

And sowing the kernels of it in the sea, bring forth more islands.

"But what was the island like?" says the manager. The sailor tries to explain. "It was green, with yellow in it; a tawny-colored country"—the color, that is to say, of the coral-beached, cedar-covered Bermuda of to-day—"and the air made one sleepy, and the place was full of noises"—the muttering and roaring of the sea among the islands and between the reefs—"and there was a sou'-west wind that blistered one all over." The Elizabethan mariner would not discriminate finely between blisters and prickly heat; but the Bermudian of to-day will tell you that the sou'-west or Lighthouse wind in summer brings that plague and general discomfort. That the coral rock, battered by the sea, rings hollow with strange sounds, answered by the winds in the little cramped valleys, is a matter of common knowledge.

The man, refresht with some drink, then describes the geography of his landing place,—the spot where Trinculo makes his first appearance. He insists and reinsists on details which to him at one time meant life or death, and the manager follows attentively. He can give his audience no more than a few hangings and a placard for scenery, but that his lines shall lift them beyond that bare show to the place he would have them, the manager needs for himself the clearest possible understanding,—the most ample detail. He must see the scene in the round—solid—ere he peoples it. Much, doubtless, he discarded, but so closely did he keep to his original informations that those who go to-day to a certain beach some two miles from Hamilton will find the stage set for Act ii, Scene 2 of the 'Tempest,'—a bare beach, with the wind singing through the scrub at the land's edge, a gap in the reefs wide enough for the passage of Stephano's butt of sack, and (these eyes have seen it) a cave in the coral within easy reach of the tide, whereto such a butt might be conveniently rolled.

(My cellar is in a rock by the seaside where my wine is hid).

There is no other cave for some two miles.

Here's neither bush nor shrub; one is exposed to the wrath of "'yond same black cloud," and here the currents strand wreckage. It was so well done that, after three hundred years, a stray tripper and no Shakspere scholar, recognized in a flash that old first set of all.

So far good. Up to this point the manager has gained little except some suggestions for an opening scene, and some notion of an uncanny island. The mariner (one cannot believe that Shakspere was mean in these little things) is dipping to a deeper drunkenness. Suddenly he launches into a preposterous tale of himself and his fellows, flung ashore, separated from their officers, horribly afraid of the devil-haunted beach of noises, with their heads full of the fumes of broacht liquor. One castaway was found hiding under the ribs of a dead whale which smelt abominably. They hauled him out by the legs—he mistook them for imps—and gave him drink. And now, discipline being melted, they would strike out for themselves, defy their officers, and take possession of the island. The narrator's mates in this enterprise were probably described as fools. He was the only sober man in the company.

So they went inland, faring badly as they staggered up and down this pestilent country. They were prickt with palmettoes, and the cedar branches raspt their faces. Then they found and stole some of their officers' clothes which were hanging up to dry. But presently they fell into a swamp, and, what was worse, into the hands of their officers; and the great expedition ended in muck and mire. Truly an island bewicht. Else why their cramps and sickness? Sack never made a man more than reasonably drunk. He was prepared to answer for unlimited sack; but what befell his stomach and head was the purest magic that honest man ever met.

A drunken sailor of to-day wandering about Bermuda would probably sympathize with him; and to-day, as then, if one takes the easiest inland road from Trinculo's beach, near Hamilton, the path that a drunken man would infallibly follow, it ends abruptly in swamp. The one point that our mariner did not dwell upon was that he and the others were suffering from acute alcoholism combined with the effects of nerve-shattering peril and exposure. Hence the magic. That a wizard should control such an island was demanded by the beliefs of all seafarers of that date.

Accept this theory, and you will concede that the 'Tempest' came to the manager sanely and normally in the course of his daily life. He may have been casting about for a new play; he may have purposed to vamp an old one—say, 'Aurelio and Isabella'; or he may have been merely waiting on his demon. But it is all Prospero's wealth against Caliban's pignuts that to him in a receptive hour, sent by heaven, entered the original Estéfano fresh from the seas and half-seas over. To him Estéfano told his tale all in one piece, a two hours' discourse of most glorious absurdities. His profligate abundance of detail at the beginning, when he was more or less sober, supplied and surely establisht the earth-basis of the play in accordance with the great law that a story to be truly miraculous must be ballasted with facts. His maunderings of magic and incomprehensible ambushes, when he was without reservation drunk (and this is just the time when a lesser-minded man than Shakspere would have paid the reckoning and turned him out) suggested to the manager the peculiar note of its supernatural mechanism.

Truly it was a dream, but that there may be no doubt of its source or of his obligation, Shakspere has also made the dreamer immortal.

Índice